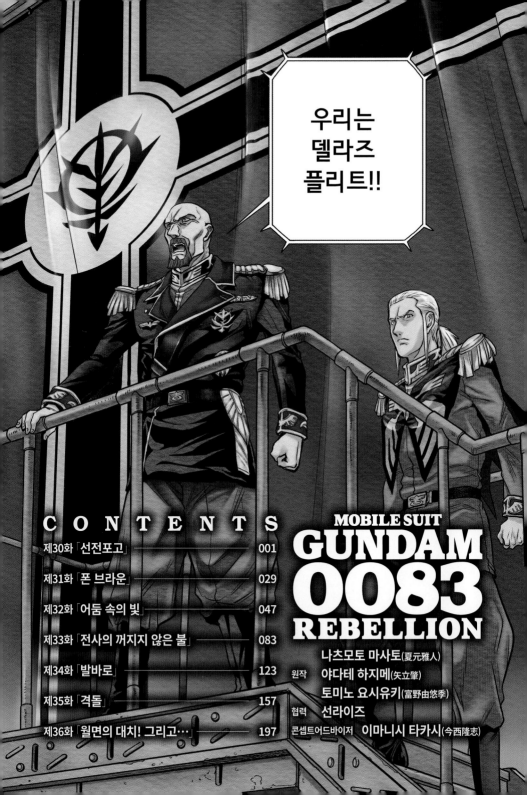

우리는
델라즈
플리트!!

C O N T E N T S

MOBILE SUIT
GUNDAM
0083
REBELLION

나츠모토 마사토(夏元雅人)

원작 야다테 하지메(矢立肇)

　　　토미노 요시유키(富野由悠季)

협력 선라이즈

콘셉트어드바이저 이마니시 타카시(今西隆志)

이 방송을
막을 수는
없나!!

에규
델라즈…

안 됩니다!!
통신 위성에서
직접 긴급 코드로
방송해서

기렌 자비의
망령인가!!

모든 주파수에서
강제로 수신
시키고
있습니다

……

하루도
빠짐없이
생각했다

스페이스
노이드의 자치
독립을 믿고…

이제, 우리 군단에 주저하는 자는…

없다!!

전투가 길어질 것 같네

코우…

……

니나는 왜 건담 개발에 참가했어?!

건담의 계보를 조사하는 거야

정보부 소속 기술 장교인 내 임무는 말이야

건담의… 계보?

......

질문의 의미를 모르겠는데

그건…

어떻게 아는 거야?!

코웬 중장님의 건담 개발 계획은 아까 말한 0호기부터

4호기까지 설계 기획이 있었잖아

3호기는 아직 실험단계고

4호기는 개발이 중지됐을 거야

......

1, 2호기 말고는 몰라

바보

군이 발주했는데 정보부가 아는 건 당연하지

그런 바보 같은 얘기가

있을 리가 없잖아!!

흠~ 그럼 그 뒤로

건담이 개발됐다는 얘기는… 없고?

저기… 아까부터 이상한 통신이 들어오는데요

통신?

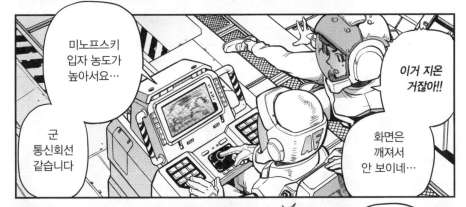

미노프스키 입자 농도가 높아서요…

군 통신회선 같습니다

이거 지온 거잖아!!

화면은 깨져서 안 보이네…

이 목소리는 에규 델라즈야

그렇다면 옆에 있는 인물은…

가토?

아나벨 가토려나

이 수송정
수신기로는
이게
한계입니다

어째서…
지온 독…
전쟁이…

......

......

시마 님
탄약이
얼마 안…

내가
없는 틈에
멋대로
굴지
말라고!!

코우!!
달에서
돌아온 거야

우라키!!
너 때문에 얼마나
고생한지 알아!!

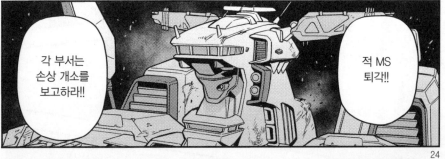

각 부서는
손상 개소를
보고하라!!

적 MS
퇴각!!

24

지금…
진정한
젊은이의
뜨거운 피를
내 피로 삼아

델라즈…

제31화 「폰 브라운」

크우 우 우

니나!!

겨우 나흘 지났는데

뭐야, 몰라!!

어서와!!

끄우

몰라!!

응?

너, 냄새 난다

왜?

끄응

알비온도
꽤 많이
다쳤으니까

수리하러
달의 폰 브라운시에
입항하기로 했어

승무원은
사흘 동안
반현 상륙이고

그게 왜 코우랑
느긋하게 지낸다는
얘기가 되는데

좀
솔직해져라!!

그럼 말이야,
우라키 소위랑
건담이랑 뭐가
더 중요한데?

당연히 건담이지!!

Fb로 환장한 건담 봤지? 그거야말로 이상적인 MS에 한 걸음 다가간 기체야

코우는…

안 돼, 아직 어린애야

어머나, 잘 아네

그 또래 남자애는 여자한테 약하거든

오늘 하루라도 데이트 해주라고

네가 리드해줘야 뭐가 돼도 된다고

그럼 오늘은 된다는 얘기네

아무튼 내일부터 Fb 재조정 때문에 시간이 없어

이걸로 리버모어 공장 반입 절차는 다 끝났네

바보

이제 데이트만 하면 되겠다!!

사실은 저도 그런데!!

데이트 하시죠, 어른의 데이트!!

니나 씨 오늘 한가 하십니까?

어라

그냥 정식으로 사귀라니까

안 됐네요, 몬시아 중위님!!

니나가 선약이 있거든요

이상한 소리 하지 말라고

우라키~?

전 따라가고요

지금부터 반현 상륙으로 시내에 나갑니다!!

몬시아 중위님!!

선약…?!

……

고마워. 코우

운전은 제가!!

위이잉

그러게요

코…우…?

오늘 밤은 난리 나겠구만

정말
미안해

돌아왔다고
보고해야
해서…

두 시간 뒤에
극장 앞에서
만나

......

시내
관광이라도
하고 있어

금방
갈 테니까

41

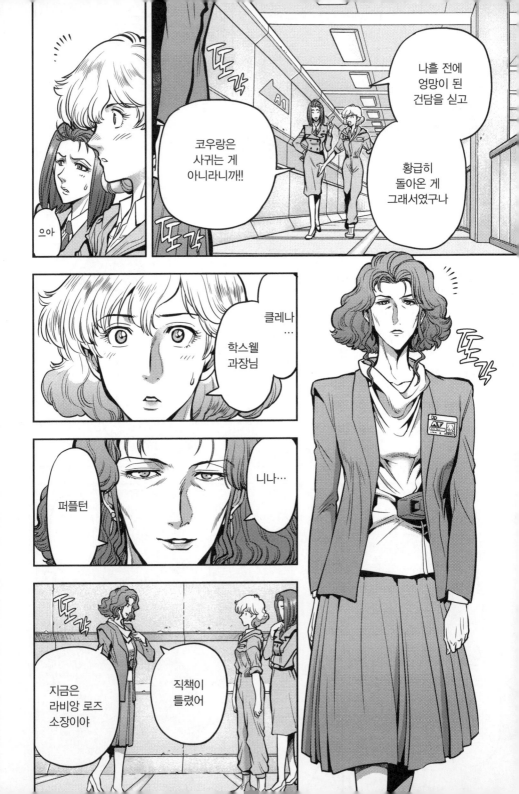

스을

너한테는…

0호기 개발 때
신세를 졌었지

덕분에…

항행 도크선
소장 자리로
좌천당했지만…

저는…

또 각

모레가
기대되네

예?

VON BRAUN
THEATER

……

그냥
꼬장이야

글쎄?
신경 쓰지 마

모레
무슨 일
있어?

연방이 그 강대한 군사력을 행사해서 그 작은 싹을 뽑아버리려 하는 의도를

스페이스 노이드가 그토록 바라는 자치권 요구에 대해

…

'솔로몬의 거시기'였지

다른 뉴스에서 봤는데, 이 인간이 지온의 델라즈 중장

이쪽 젊은 놈은… 누구였더라?

그래, 그거!!

'솔로몬의 악몽'

지난 번 전파 재킹 영상…

……

아나벨
가토!!

제32화 「어둠 속의 빛」

철

기다리시게
해서
죄송합니다,
시마 님!!

애너하임도
장사 좀
할 줄
아는데

큰 고객인
연방 군함은 제1 포트!!
이쪽은 자원 반입
항구인가?!

우리 보급함이
입항할 때
연방 놈들이
기다리고
있기라도 하면

델라즈 플리트의
궐기 방송 이후로
연방의 감시가
심해져서요

무슨 말씀을
미리 말씀
드렸을 텐데요

예

흥!!

앞으론
철저히
연락하라고!!

어쩌네 저쩌네 해도 이 세상을 혼돈에 빠트리는 건

연방과 지온 양쪽에 무기를 팔아먹다니

댁 같은 '루나리안' 들이군

흣

그럼 쓸 만 한 MS좀 줄 수 있겠나?

저희는 시마 님께 힘을 보태드리고 싶을 뿐입니다

하하

MS 말입니까?

원하신다 면야…

건담 때문에 우리도 고생 좀 했거든

알비온인가 하는 군함에는 꽤 신경을 써 주던데

특히 그 허연 놈

많이
늦네…

니나…

무슨 일
있나…?

꼭 확인할
일이
있어서요!!

니나
예요!!

케리 씨!!
계세요?!

코우…

이 망할 동네

어디 좋은 술 파는 가게 없냐?!

어?

우라키이이!!

정신 좀 차리세요, 몬시아 중위님

56

알았다

니나 양한테
바람맞았구나

그냥
…
아무것도
아닙니다

왜 이런데서
멍 때리고
있냐!!

데이트
한다면서?

에이

저 술버릇은
여전하군요…

정말

좋았어!!
내가 쏠 테니까
따라와라

**사양하겠
습니다**

탁

탁

저기,
중위님

시끄러!!
명령이야!!

이렇게
늦었으니…

기다릴 리가
없지…

……

거기 있던 게
아닙니다

전 그런
불순한
동기로…

무슨
애들 핑계도
아니고!!

불순?!

뭔
소리래?!

남자가 여자를 좋아한다. 이 얼마나 순수하냐

그래서 니가 애라는 거야!!

아~니!! 우라키는 애야!!

우라키도 나름대로…

애냐 아니냐 얘기라고

네가 순수함을 얘기하다니

전 애가 아닙니다!! 가토한테도…

뭐… 이기진 못했지만

지지도 않았다고 봅니다…

아니…

Fb라면, 이번에야말로 가토한테…

흥

이제야 말했구만

네 본심을…

가토, 가토

애가 떼쓰는 꼴이잖아

건담이라는 장난감 받아서 신이 난 어린애라고

그래도
우리는
살아남았지

하지만…
전장엔
'죽음'이
넘쳐나

간단해
죽은 사람이
아무도
없었거든

일 년 전쟁 때,
우리가 왜
'불사신 제4소대'
소릴 들었는지
알아?

그래서
죽기 직전에서
멈췄지

솔직히 우린
죽는 게 무서워!!

그런 점이
애 같다는
거야

하지만 넌
그 죽기 직전에서
한 발 더
들어가려고
하잖아

인마,
내 말 아직
안 끝났어!!

야!
우라키!!

그냥
주정뱅이야

가자!!

사람
헷갈리게

예

일
키우지 말고
그냥 둬!!

으

우리는 패잔병이 아니다!!

지온 군인으로서의 긍지는 아직 건재하다!!

얼굴이 MS 파일럿 출신 같은데

오빠랑 비슷해…

비켜!!

지금
나가면…

……

어라?

웃기지
마!!

내가
동태 눈깔인줄
아냐!!

안에
연방 스파이가
있잖아?!

틱

헉

헉

그 사람
덕분에
살았네

타

딱

73

그라나다
해병대에
합류할 거야!!

꼭 델라즈
플리트에…

따
벅

!!!

따
벅

동료들을
팔아먹다니…

흥

연방군…

죽었나…?

숨은
쉬는군…

어쨌거나
상관할 수는
없다

……

AE 리버모어 공장

일찍 왔네!!

안녕, 폴라

음…

그게…

어제 데이트 잘 했어?

아침 댓바람부터 누구야?

……

알겠습니다 바로 가겠습니다

예!!

이유는 모르겠지만…

오설리번 상무 호출

좋은 일은 아닐 것 같은데

왠지…

……

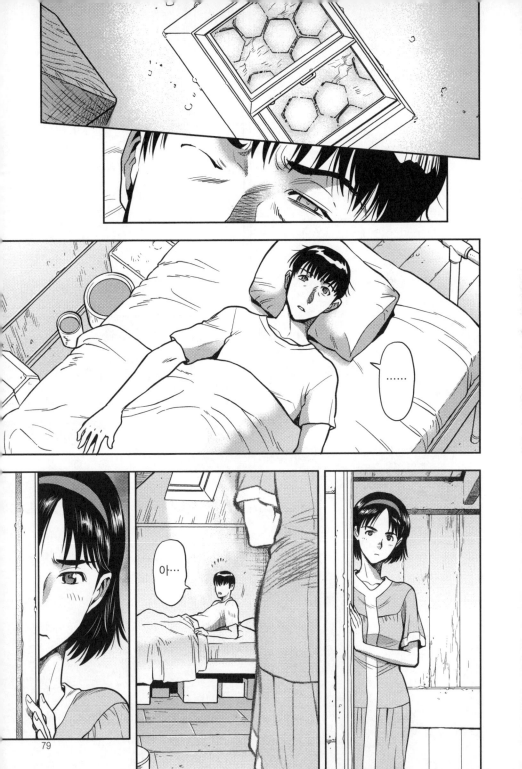

......

여기가…
어디지?

휙

케러-!!

잠깐…

으윽!!

아야야!

퍼플턴
군

자네의 GP01Fb가
꽤 잘 만들어졌다는
보고를 받았는데

회사 입장에서는
모의전 형식의
최종 테스트를
통해서
진가를 확인해보고
싶군!!

건담…
4호기?!

설마
롤아웃
됐을 줄은…

GP04G(거베라)는
내 모든 걸 쏟아서
완성한 기체야

클레나
학스웰

이제 와서
1호기와 4호기가
경쟁이라니…

아무 의미도
없잖아요!!

네 1호기와
내 4호기…

차이를
시험해보면
어떨까?

하지만,
상무님…

그리고
모의전 결과가
어떻게 되건,
군에 대한 대응은
변함이 없고

퍼플턴 군!
우리 회사의 향후
MS 개발에 중요한
테스트일세

우리 회사가 개발한 MS의 성능을!!

그냥 보고 싶을 뿐이네!!

……

여긴…

어디지?

……

예?

저벅

고물상이
신기한가?

……

그냥
지나가다가
그랬다

그쪽이
절 여기로?

간밤엔…

술에
취했던 것
같은데…

예…

아침 먹고
나가!!

쏴아아

그럼 갈게, 케리

매번 고맙다 라트라. 저녁은 내 것만 차리면 돼

고맙습…

전 우라키라고 해요

폐 끼쳐서 죄송합니다

90

군인이면 '요'로 끝내지 말고!!

케리 레즈너다!!

아, 예!!

어떤 기체에 타고 있나?

연방군 파일럿이지?

그렇게 안 보이는데

그러니까… MS입니다

아

함재기나 작업 포트일 줄 알았다

가토라는 녀석을 아나?

잠꼬대로 계속 '가토를 쓰러트린다'고 했다

예?!

가토…

지온군 파일럿입니다

'솔로몬의 악몽'이라고 불리던

아나벨 가토

나이를 보니 일 년 전쟁엔 참전하지 않았을 텐데

내가 묻는 건 너와 가토의 관계다!!

흥

일단은 군인이다 이건가…

그럼 가르쳐주마

기밀이라서 대답할 수 없습니다

그건…

흥!!

얼간이 자식…

MS용 구동 오일 냄새…?

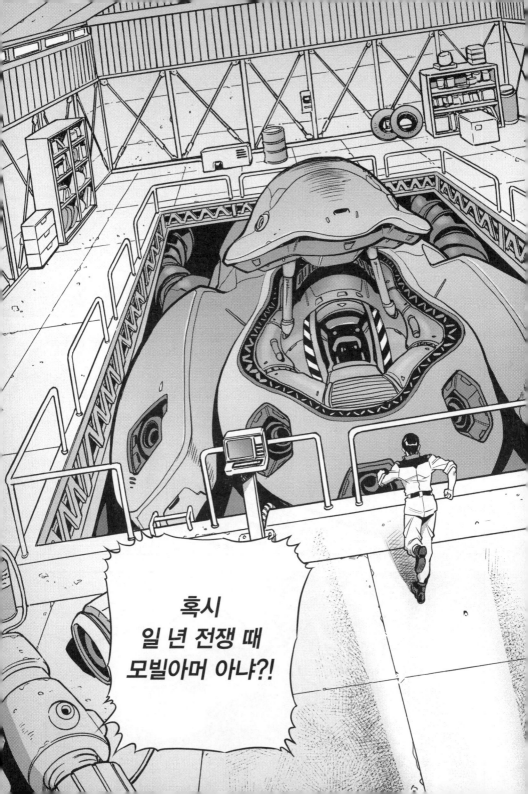

이거…
움직이나?

특수한
조작 계통으로
개조했네

그렇구나,
한 손으로
조작하려고…

뻑

뻑

시스템 주변 유닛을 교환해야 합니다

아직 메인 시스템도 기동하지 못 했죠?

네놈이 말하지 않아도…!!

하지만 기체 자체는 문제없어 보입니다

저도 돕는다면 조금만 손봐도 움직일 겁니다

이 MA!!

이 녀석을 고치는 게 어떤 일인지 아는 거냐!

무슨 소리냐?

난 지온의 파일럿이다

하지만 결국은 임무로 적과 싸우게 됐고…

……

저는 MS가 좋아서 파일럿이 됐습니다

케리 씨는 '적'… 이었죠.

그렇지…

전장에서의 '죽음'이 뭔지 모른다고

하지만 전장에서 죽고 죽인다는 걸 잘 모르겠습니다

부대 동료들도 그러더군요

정말로
모를지도
모릅니다…

솔직히
군인으로서
잘못된 일이라는 건
알지만

저는
이 MA를
가동시키고
싶습니다

……

코우 자식…

니나 씨랑 데이트한다고 신이 나서…

후룩…

정말이지, 귀찮게 하기는!!

반현 상륙 중인데, 규정 위반이다

그래? 우라키가 말이지…

데이트…?!

105

혹시 모르니까 니나한테도 연락 해볼게요

밤까지만 돌아오라고 전해

알았다!! 보고서는 내가 알아서 해 놓으마!!

저걸 고치면 반드시 전장으로 돌아갈 거야

못 고친다고, 거의 포기하고 있었는데…

네?

나한테서 케리를 빼앗지 마!!

케리는 아직 파일럿의 미련을 못 버렸어!!

레즈너
대위님이시죠

오오!!

드디어
온 것인가

가토 소령님께
듣고
이렇게
왔습니다

델라즈
플리트에서
왔습니다

내
자전거…!!

잠깐만
!!

저 사람은
해병대의
시마 중령님

난,
저 분의 부대에
들어가기
위해서…

시마 님!!

꿈이 이뤄진다!!

......

예

우라키!!

밖에 나가주게!!

척

......

아… 그게

이 친구는 관계없다

이쪽 분은?

112

기체는
99% 완성됐다!!

한쪽 팔로도
조작할 수 있게
콕피트도
개수했고

역시
케리 레즈너
대위야

이 녀석이
'별가루 작전'에
합류하면
큰 도움이 되겠어

아니…
꼭 해내겠
습니다!!

내일?!

그런데,
시간이
괜찮을까?

우리 함은
내일
출항한다

기대하지…

예

맞다!!
연락
해야지

지금
어디 있어?!

코우?!

그래…

연락은 했구나

알비온 사람들도 걱정하는데…

남자?

대단한데

젊은 소위

니나…

물어볼 게 있는데…

아, 그건 됐고

알아 내가 잘못 했어

뭐?

약속을 어겼으니까

지금 어디서 뭐 하는 거야?!

뭐라고?!

그건 됐다는 게 무슨 소리야?!

MS처럼 AMBAC을 쓸 수 없는 MA는, 어떻게 보정을 해야…

미안!! 또 연락 할게!!

아 위 잉

잠깐…

코우!!

전장으로 복귀하겠다!!

기체를 내일까지 완성해서

델라즈 플리트…

너한테 있으라고도, MA를 고쳐달라고 부탁하지도 않았다!!

알았으면 당장 꺼져!!

쿡

라트라 얘기는 하지 마!!

라트라 씨가 걱정하고 있습니다

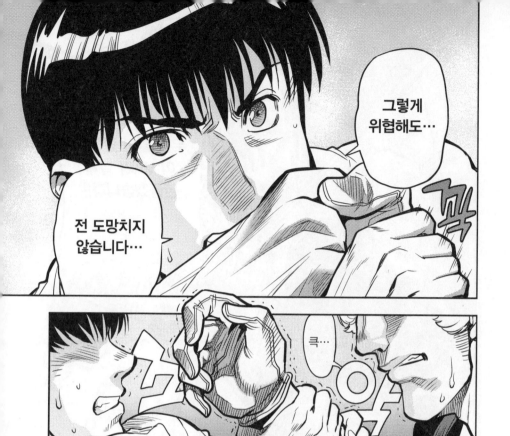

라트라가
바라는대로

그냥 고물상
아저씨가
되는 것도
나쁘지
않다고…

그렇게
생각한 적도
있다

하지만…
아니었다

고물상 일을
하고 있으면서도,
뭐랄까…

내가 있을 곳이
아니라는
생각이 든다!!

다쳐서
파일럿을
그만뒀지만…

역시 난
파일럿이야…

내 마음 속에서
뭔가가 불타고
있다는 걸
분명히 알 수 있다

하지만
그것보다
분노가 더 컸다

'죽음'에 대한
공포?
당연히 있었지

케리 씨는
전장에서
부상당했을 때

무섭진
않았습니까?

분노…

말입니까?

아…
예!!

내
어깨에
올라가!!

그냥
신발 신고!!
빨리 해!!

그래!!
파일럿으로서

한심한
나 자신에
대한…

파일럿에게는 주어진 '힘'에 대한 의무를 다할 책임이 있다!!

그것은 군의 임무와 전과를 뜻한다

하지만 사람은 그것만 가지고는 움직일 수 없다!!

거기에 믿을 수 있는 대의가 있기에, 파일럿으로서 전장의 공포를 극복할 수 있지

흥!! 오늘은 말이 너무 많았군…

다음엔 전장에서 싸울 상대인데

대의…

아나벨 가토도 그런 말을 했습니다

......

건담의 계보에 대해 조사한다던데

예

타냐 체르모샨... 스카야 중위

기술 장교인가

뭐가 알고 싶지?

그래서?

타냐라고 불러주세요

크레나 학스웰 소장님

TANYA-CHERNO

코웬 중장님 지휘하에 진행된

건담 개발계획은 각 방면에서 주목하고 있습니다

특히, 델라즈 플리트에 GP02를 빼앗긴 사태가 전파 재킹을 통해 드러나면서

군 상부가 난리가 났죠

저희 회사는

지시한대로 제품을 개발해서

납품했을 뿐입니다만?

예, 알고 있습니다

그런 얘기를 들어서

단지 이 상황에서 군이 개발을 중지했던 기체가 롤아웃 됐다는…

솔직히 놀랐어요 1호기, 2호기 다음에

이렇게 왔습니다

갑자기 4호기가 나와서

GP04 GERB

게다가 1호기와
모의전을
요청했다는 건

건담 개발
주임이었던
당신이
그 사람 때문에

좌천됐다고
하던데

역시
니나 퍼플턴과의
불화
때문인가요?

그건 사실이
아닙니다

하지만

꽤 많이
들으셨나
보군요

MS의 기초를
처음부터 가르친
학생 같은
존재입니다

제게 있어
그 아이…
아니,
그 아이들은

집에 가서
잠이나 자!

아쉽지만
해병대는
댕기머리 꼬맹이
놀이터가 아냐

그날 이후로
해병대 입대를
바라고
있었습니다!!

해병대 특별
현지 훈련에서
하루뿐
이었지만…

저는
훈련소에서
시마 중령님께
지도를
받았습니다!!

너…!!

······

134

의외로
쓸 만 할지도
모르겠어

예…!!

오오!!

STAND BY

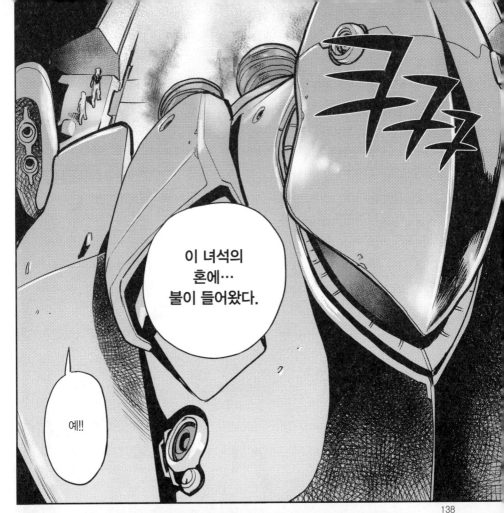

이 녀석의
혼에…
불이 들어왔다.

예!!

……

우라키 소위
현시간부로 임무에
복귀하겠습니다!!

소위!!

내 혼에 불을 지펴준 것에…

감사한다…

하지만, 이번만이다!!

알고 있습니다!!

애너하임 테스트 공장

코우가 아직도 안 왔다고!!

그게 무슨 소리야?!

모의전 얘기를 하긴 했어?

그런데도 안 왔잖아!!

원래 트라이얼이 예정돼 있었으니까…

그치만!!

안 한 것 같기도 하고…

생각해 보니…

파일럿 준비가 늦어지는 것 같습니다

저쪽은 뭔가 문제가 있나 본데

문제 없음!! 아주 좋습니다

게다가 상대는 사관학교 출신 신참 이라면서요?

지는 게 싫어서 도망친 건 아닐까요?

4호기 컨디션은?

기체 탑승 시간은 제가 더 많습니다!!

기대하겠어

꼭 이기겠습니다

우라키 소위, 들어가겠습니다

늦었잖아!!

상대인 건담 4호기는

스펙상으로는 1호기랑 큰 차이가 없어

미리 말 안 해서 미안해

상관없어

트라이얼이 모의전으로 변경됐어

헤에!!
4호기도
있었구나

기대
되는데!!

건담 1호기,
나갑니다!!

어제 무슨 일
있었어?

왠지…
평소보다
차분해 보이네

물러나
주세요

부

웅.

기다려, 케리!!

툭

왜 당신이 전장에 돌아가야 하는 거야?!

케리!!

이해해줘, 라트라!!

난 파일럿이야!!

오오

일부러 마중 왔나? 미안하군

준비는 다 해 놨다

역시 대단하십니다

발바로도 상태가 좋은 것 같고

철컥

약속한
돈입니다

대금이라고
생각해
주십시오

준비금을
이렇게나…

제가 탈
MA니까

고맙다!!
이걸로
라트라도…

이건
내 기체다!!

이런!!

네놈!!
처음부터
그럴
셈으로…

저희가 외팔이를
기동병기에
태울 정도로
궁하진 않습니다

착각하시면
곤란합니다,
예비역 대위님

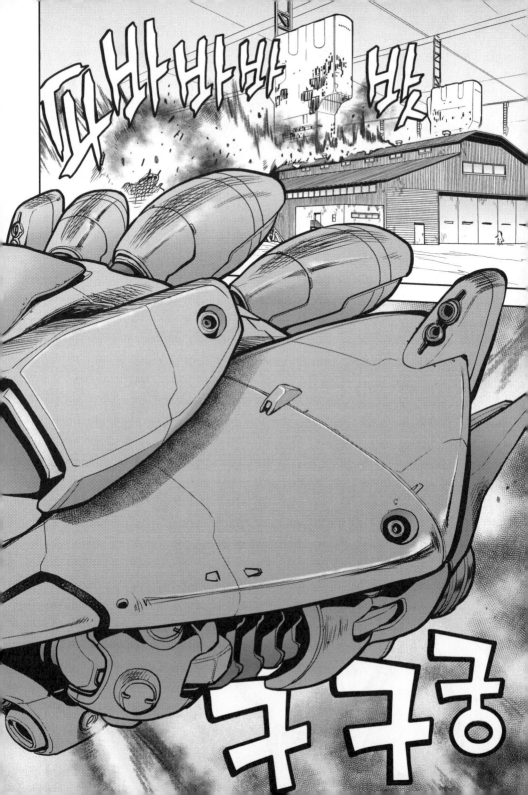

하지만 그건 잘못 됐어

넌 저 기체가 범용 MS 개발 시제기라는 사실을 잊고 있어!!

학스웰 소장님

수치상으로는 양쪽의 기동 성능에 큰 차이가 없다고

그렇게 말했었지, 퍼플턴

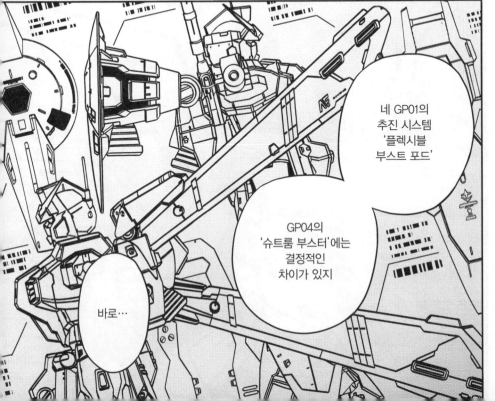

네 GP01의 추진 시스템 '플렉시블 부스트 포드'

GP04의 '슈트룸 부스터'에는 결정적인 차이가 있지

바로…

이 콕피트에 들어왔을 뿐인데…

그런데… 이상하게 마음이 편하네

상성도 좋아 보이네

롱 레인지 라이플의 초점 정밀도도 올라갔어!!

또 히트!!

……

분명히 GP01은 파일럿에 대한 부담이 크다고 봅니다

하지만 저는 그것이 성능 규정치를 뛰어넘는 열쇠라고 생각해요

쿠르트 중위가 안 보이는 것 같은데?

케리 레즈너 대위!!

MA로 출격했다는 건, 화가 나서 군규를 위반하겠다는 건가?

그렇게 됐나

이 기체는 내 것이다!!

누구한테도 못 줘!!

그걸 증명하기 위해 왔다!!

하지만, 난 아직 파일럿으로 싸울 수 있다!!

......

쿠르트는 사고였다!! 나중에 사문이건 뭐건 얼마든 받겠다!!

지금?
이 폰
브라운에서?!

파일럿
으로서
인정해주지

쿠르트가
실행할
예정이었던
임무에
성공하면

그래,
좋다

현재 애너하임의
테스트 시설에서
건담 두 대가
모의전을
하고 있다

넌 거기에
난입해서
건담을
파괴해라

약간
조건이
있긴 해도
쉬운 일이지

하지만,
질문이
하나…

임무는
받아들이겠
습니다

기대하겠다,
대위

건담을
쓰러트리면,
날 인정한다고…?

172

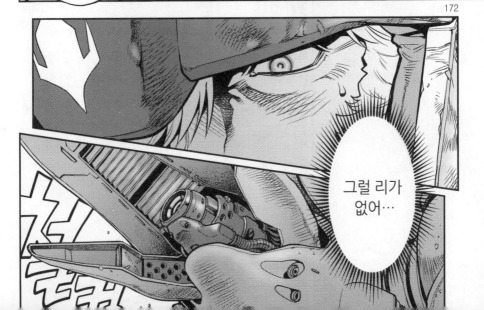

구 지온 MA같은 기체 하나가 이리로 오고 있대!!

항만국에서 긴급 경보!!

모의전을 중지해!!

빨리 철수해, 코우!!

예?!

적?

너무 갑작스러운데요?

지온 기체 하나가 그리로 가고 있어

저건가!!
건담 두 대!!

우라키
입니다!!

케리 씨
맞죠!!

케리 씨…

통신 주파수가 아마…

우라키?!

설마 네가 건담에 타고 있나?!

들립니까?!
케리 씨!!

위잉

코우…

지잉

긴급 피난…!!

연방 수비대는 뭘 하는 거야?!

우라키… 맞냐?

우웅

역시 케리 씨였군요!!

우라키…

케리 씨!!
당신은 이제
전장에 돌아올
필요가 없잖아요!!

그래도
…

서로의
입장은
납득했을
텐데!!

군인이…

'그래도'
같은 소리는
하지 마라!!

타

와

지난 전쟁에서
팔 하나를
잃고…

이젠
라트라 씨도
잃게 됩니다!!

라트라 씨 라고요!!

지금 여기서 당신을 필요로 하는 건

가토라니… 그 녀석은 여기 없잖아요!!

뭘 안다는 거냐!!

네놈이…

여기는
폰 브라운
주류군이다

지온 잔당에
경고한다!!
즉각 무장을
해제하고…

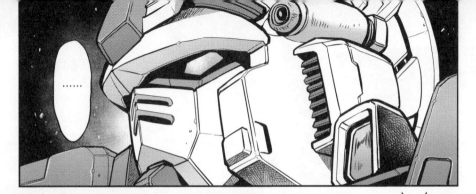

......

케리…

케리 레즈너
대위

마중
나왔다

케리!!

지익

찌지…

이
목소리…

설마…

제37화 「월면의 대치! 그리고…」

가토가
나타났다고?!
무슨 소리야

약속대로
케리 레즈너를
데리러 온 건가

좋다,
MA는
가토한테
주자고

이쪽이
원하는 건
따로 있으니까

...

클라라…
네게 임무를
주마

틱

이제
이 폭탄으로…

이 기체가
대파된 것처럼
위장만 하면…

진짜 쉬운
임무잖아

적은
MS
하나뿐이다!!

숫자로
밀어붙여!!

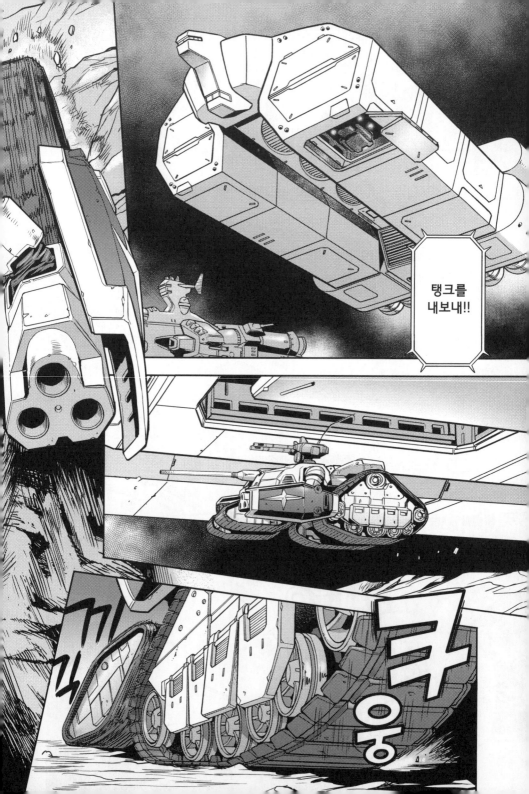

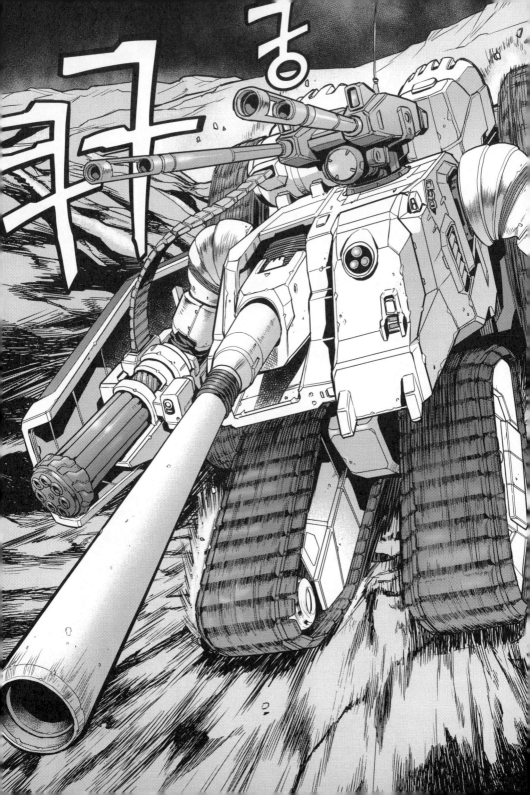

그야말로
우둔한 연방의
상징…

아직까지
궤도 달린 놈을
운용하다니…

꺼져라!!

함포 사격으로 놈을 붙잡아!!

상관 없다!!

우리가 지키는 시설이다!!

그러면 월면 시설에 피해가…

알았다, 카리우스

기다리고 있었다…

가토…

가토 소령님!! 레즈너 대위를 확보했습니다

속히 철수 하십시오!!

안 돼요!!

케리 씨…

여기엔 당신의 행복이 있지 않습니까!!

우라키…

파일럿으로서 아직 끝나지 않았다는 그 기분은 이해합니다

하지만…

그걸 버리고…

라트라 씨까지 버리고 향하는 전장에서…

당신은 뭘 위해서 싸우는 겁니까?!

생과 사의 기로에서 쌓아온 유대로 맺어진 동료다

동료를 위해서다!!

그 녀석들과
함께 전장을
누빌 때만

나는…

나 자신으로
존재할 수
있다…!!

……

큭…

케리 씨에게는
좋아하는
사람이…

케리 씨는
여기서
행복
했는데!!

왜
케리 씨를
그냥 두지
않았지?!

가토!!
듣고
있지!!

우라키!!

그만
해라!!

잔탄은
얼마
안 되지만

이 라이플은
쓸 수 있어!!

그쪽…

사람들은
괜찮습니까?

2호기를
쫓으면
안 돼!!

우라키
소위!!

안심해
니나도
무사해!!

지금은
상황 수습을
우선시해!!

추격은
다른 부대한테
맡기고!!

2호기…

하지만!! 기껏 2호기를 찾았는데…

2호기하고 싸우면 안 돼!!

알비온하고 합류해야 해!! 우라키 소위

하지만, 니나…

큭…

가토…

MOBILE SUIT
GUNDAM
0083
REBELLION

기동전사 건담 0083 REBELLION ⑦

2018년 6월 15일 초판 1쇄 발행

만화 나츠모토 마사토
원작 토미노 요시유키 · 야타테 하지메
협력 선라이즈

펴낸이 원종우
펴낸곳 길찾기
주소 (13814) 경기도 과천시 뒷골1로 6, 3층
전화 02 3667 2653~4   팩스 02 3667 2655   메일 edit01@imageframe.kr   웹 http://imageframe.kr

ISBN 979-11-6085-374-2 07830 (7권)
가격 8,000원

MOBILE SUIT GUNDAM 0083 REBELLION 7